L'heure
des histoires

Vincent Cuvellier
Illustrations de Charles Dutertre

LA PREMIÈRE FOIS QUE JE SUIS NÉE

*À Jean et à Grégoire
et à leurs premières fois.*

Gallimard Jeunesse giboulées

La première fois que j'ai ouvert les yeux, je les ai fermés aussitôt. J'ai pleuré. Des mains m'ont soulevée dans le ciel et m'ont posée entre deux montagnes de lait. J'ai arrêté de pleurer. Et j'ai ouvert les yeux pour la deuxième fois de ma vie. J'ai vu la lumière la plus douce du monde : c'étaient les yeux de maman.

La première fois que j'ai vu papa, il pleurait. Mais il avait aussi un immense sourire. Il me regardait comme s'il me voyait pour la première fois. D'ailleurs, il me voyait pour la première fois.

La première fois que j'ai entendu mon nom, je ne savais pas encore que c'était mon nom. Papa disait plein de mots, et au milieu de ces mots se cachait mon prénom.

La première fois qu'on m'a fait un bisou, impossible de savoir qui c'était. Maman me serrait contre sa poitrine, papa était penché sur moi.
Je me souviens juste que j'aimais bien ça, que j'aurais aimé que ça dure longtemps. J'ai eu de la chance, ça a duré longtemps.

La première fois qu'on m'a plongée dans l'eau, j'ai crié, hurlé, battu les bras et les jambes dans tous les sens. Tout le monde riait autour de moi. Et puis, je ne sais pas pourquoi, ma tête a glissé dans l'eau. Ça m'a rappelé quand j'étais poisson.

La première fois que j'ai fait pipi, c'était sur papa.

La première fois que j'ai entendu de la musique, ce n'était pas la première fois.

La première fois que j'ai craché mon petit pot sur papa, il est devenu vert.

La première fois que j'ai marché, je suis tombée. La première fois que je suis tombée, je me suis relevée. La première fois que je me suis relevée, j'ai marché.

La première fois que j'ai regardé un miroir, il m'a souri.

La première fois que j'ai prié, j'ai attendu toute la nuit qu'on me réponde.

La première fois que j'ai rêvé que je volais, j'ai volé.

La première fois que mon grand-père est mort, maman m'a prise dans ses bras pour me consoler. Mais, en vrai, c'est moi qui la prenais dans mes bras pour la consoler.

La première fois que j'ai fait du vélo sans les petites roues, j'ai aussi fait du vélo sans les yeux, sans les mains, et sans papa.

La première fois que j'ai glissé sur un rocher, le rocher a pleuré. Pas moi.

La première fois que j'ai mangé des petits pois, j'en ai avalé 127, j'en ai fait tomber 18. 11 par terre, 7 sur la table. J'en ai jeté 3 sur Quentin Pommier. La maîtresse m'a dit que j'en avais un. Un petit pois dans la tête.

La première fois que j'ai lâché la main de maman, c'était au super-marché. Elle m'a retrouvée au rayon charcuterie. Je parlais à une tranche de jambon.

.•.

La première fois que... oh je l'aime bien, cette première fois-là, c'était un dimanche soir, on rentrait de la mer. Je m'étais enroulée

dans une couverture, à l'arrière de la voiture. Papa s'est retourné
à un feu rouge et a dit : «La petite dort.» Quand on est arrivés
devant la maison, j'ai gardé les yeux fermés, juste pour entendre
papa dire «chut» et le sentir me prendre dans ses bras. J'ai souri.
Papa a approché sa bouche de mon oreille et c'est la première
fois que je l'ai entendu dire : «Ma petite marmotte… ma petite
marmotte chérie.»

La première fois que je suis montée dans le bus, j'ai poinçonné mon ticket trois fois. Pour être sûre. Puis je suis montée sur les genoux de papa et je l'ai embrassé trois fois. Pour être sûre.

La première fois que j'ai joué de la trompette, c'était pas de la trompette.

La première fois que j'ai bu un café, j'ai mis sept sucres.

La première fois que je me suis déguisée, c'était en princesse.
La deuxième fois que je me suis déguisée, c'était en princesse.
La troisième fois que je me suis déguisée, c'était en princesse.
D'ailleurs, je suis une princesse.

La première fois que j'ai vu un héron déployer ses ailes et suivre le lit de la rivière, j'ai décidé que ce serait mon signe. Héron ascendant rivière.

La première fois que j'ai vu la mer, elle a dit : « Comme elle est grande, comme elle est belle, comme elle a les yeux bleus. »

La première fois que j'ai joué au foot, c'était toute seule.
J'ai gagné.

La première fois que j'ai vu Candice Muriaccelli, je lui ai tiré les cheveux parce qu'elle avait pris le cerceau alors que la maîtresse avait dit que c'était moi, alors elle m'a donné un coup de pied et je lui ai donné un grand coup de cerceau et la maîtresse nous a punies et on est devenues copines.

La première fois que j'ai vu une étoile filante dans le ciel, j'ai fait un vœu. Mais je peux pas dire ce que c'est, comme vœu, sinon il va pas se réaliser.

La première fois que j'ai vu une mouette, j'ai trouvé ça chouette. La première fois que j'ai vu une chouette, j'ai trouvé ça chouette aussi.

La première fois que j'ai joué de la trompette devant tout le monde, les oreilles de mon père n'en croyaient pas leurs yeux et les mains de ma mère tapaient du pied.

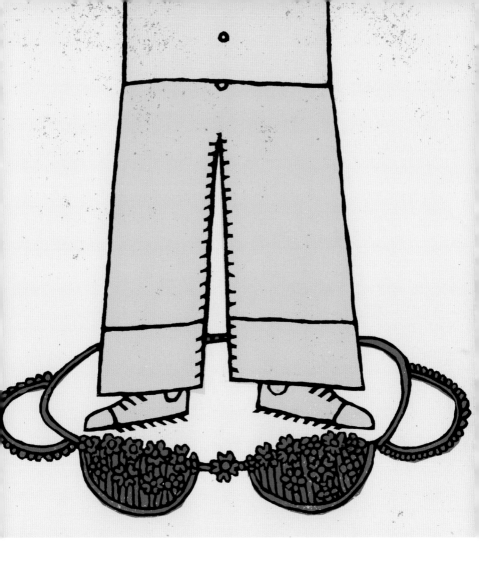

La première fois que j'ai mis un soutien-gorge, il était trop grand.

La première fois que j'ai dansé avec un garçon, j'ai marché sur ses pieds. Ça tombe bien, il avait de grands pieds.

La première fois que j'ai pris le train, il avait vingt minutes de retard.
Moi aussi.

La première fois que j'ai eu 13 ans, j'ai changé.

La première fois que sa main s'est posée sur ma main, j'ai senti le souffle du vent sur mes paupières closes.

La première fois qu'un garçon m'a embrassée, c'était derrière un arbre. Il m'a prise dans ses bras, et m'a protégée de ses branches.

La première fois qu'un garçon ne m'a plus embrassée, j'ai déchiré sa photo. Je l'ai jetée dans un feu, au milieu de branches d'arbres morts.

La première fois que j'ai été triste, mais vraiment triste, j'ai été me promener au bord de la rivière et j'ai tout raconté au héron.

La première fois que j'ai invité des amis à manger chez moi, j'avais fait des pâtes aux lardons. Mais il y avait trop de pâtes et pas assez de lardons. Et j'avais invité trop de filles et pas assez de garçons. Pourtant j'aime ça, les lardons.

La première fois que je l'ai vu, il avait une chemise bleu ciel et des yeux brillants.

La première fois que j'ai enlevé sa chemise bleu ciel, ses yeux brillaient toujours.

La première fois que je lui ai fait à manger, c'était en entrée de la quiche cramée, en plat du cramé au jambon et en dessert du cramé au chocolat.

La première fois que tu as bougé dans mon ventre, j'ai fermé les yeux et j'ai entendu la mer.

La première fois que je t'ai joué de la trompette, tu as tapé le rythme avec tes pieds. Je n'en croyais pas mes yeux.

La première fois que je t'ai vue, c'est toi qui fermais les yeux et c'était moi la mer.

La première fois que maman a su qu'elle allait être grand-mère et que papa a su qu'il allait être grand-père, ils ont rajeuni de vingt ans.

La première fois qu'on t'a choisi un prénom, on a dit plein de mots et au milieu se cachait ton prénom.

La première fois que tu es née, c'est la deuxième fois que je suis née